Domitille de Pressensé

émilie fait un cauchemar

Mise en couleurs : Guimauv'

c'est la nuit,
il n'y a pas de bruit...

tout le monde dort
dans la maison
d'émilie.

ah ! non ,
une lumière
s’allume.

quelqu'un pleure…

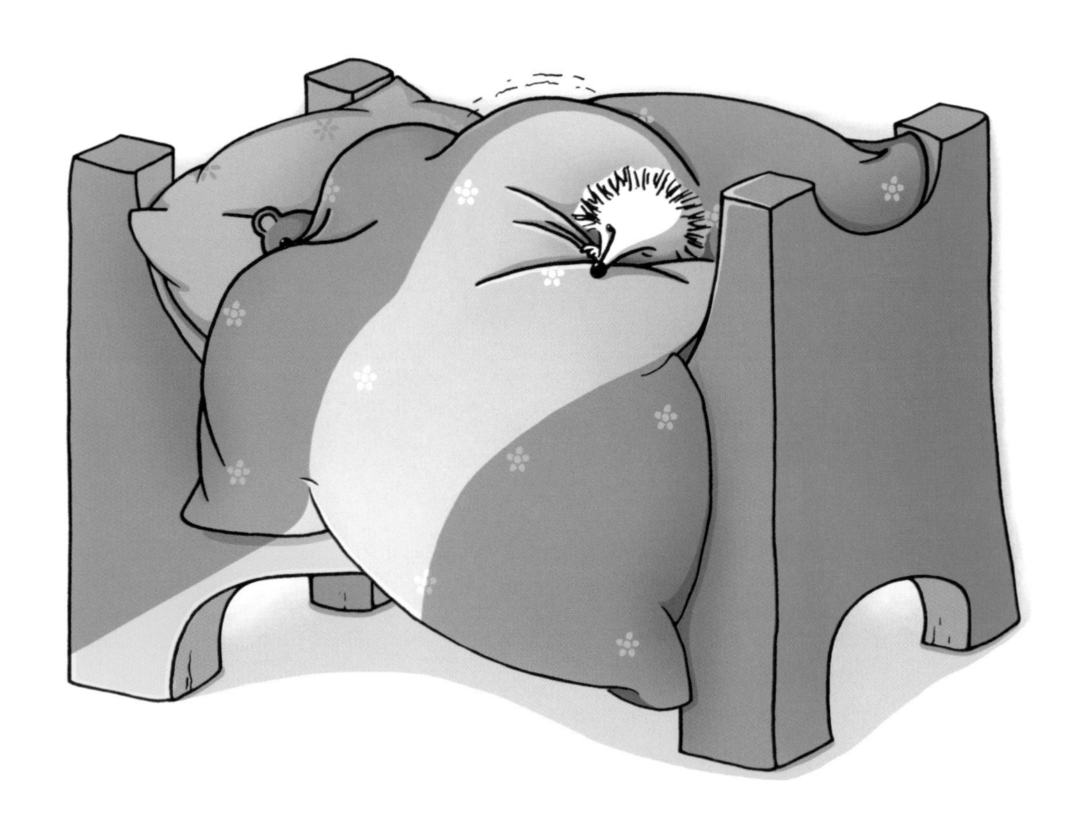

c’est émilie
dans son petit lit.

maman arrive :

qu'y a-t-il ?

demande-t-elle.

il y a un **cauchemar**
sous mon lit !
dit émilie.

un cauchemar
très méchant,
tout griffu, tout poilu !

et en plus il m'attaque.

ne pleure pas !

dit maman.

c'est un mauvais rêve.

tu as pensé tout ça

dans ta tête

quand tu dormais,

mais ce n'est pas vrai.

ça fait peur !

émilie pleure
encore plus **fort.**

papa arrive :

que se passe-t-il ?

il y a un cauchemar
dans ma chambre !
crie émilie.

mais non,

répond papa,

je regarde partout.

je ne vois rien.

il est parti
à cause de la lumière

et parce que
vous êtes là.

mais quand je serai
toute seule
et dans le **noir**,

il va revenir !

stéphane arrive :
oh ! il y a beaucoup
de bruit ici.

j'ai un **cauchemar**
qui m'attaque
quand je dors...

pff ! c’est rien.

moi, je sais
comment capturer
les cauchemars.

je prends cette boîte
et beaucoup de ficelle.

je me glisse sous le lit
et j'attrape
ton cauchemar.

émilie est contente !

maintenant,
il est enfermé
dans la boîte.

demain,
nous irons l’enterrer
là-bas, sous l’arbre.

aaah !

cette chasse

au cauchemar

m'a donné faim,

dit maman.

alors
on va dans la cuisine
grignoter un peu.

après un mauvais rêve,
comme on est bien
tous ensemble
dans la nuit.

Mise en page : Guimauv'
www.casterman.com

ISBN 978-2-203-02949-1(L.10EJDN000650.C003)
Achevé d'imprimer en janvier 2012, en Italie.
Dépôt légal : janvier 2012 ; D.2010/0053/111
Déposé au ministère de la Justice, Paris (loi n° 49.956 du 16 juillet 1949 sur les publications destinées à la jeunesse).